PAR

ANNIE GROOVIE

À la mémoire du
grand Louis Cyr,
l'homme le plus fort
du monde !

Bye-bye...

EN VEDETTE :

LÉON › NOTRE SUPER HÉROS

***Le surdoué de la gaffe,
toujours aussi nono et aventurier.***

LOLA ›

La séduisante au grand cœur.
Son charme fou la rend irrésistible.

LE CHAT ›

Fidèle ami félin plein d'esprit.
On ne peut rien lui cacher.

Ah, l'HALLOWEEN, la fête des bonbons ! Ça s'en vient... Avez-vous pensé à votre COSTUME ? Tiens, pourquoi ne pas vous DÉGUISER en Léon cette année ? En fait, peu importe le personnage que vous incarnerez, ce qui est le plus IMPORTANT, c'est le respect des règles de SÉCURITÉ. Il y en a 10. Vous les connaissez ?

RÈGLE 1 : Je porte des vêtements courts pour éviter de trébucher.

RÈGLE 2 : Je choisis des vêtements aux couleurs CLAIRES avec des bandes FLUORESCENTES qui me rendront visible dans l'obscurité.

RÈGLE 3 : J'évite les MASQUES, qui empêchent de bien voir et de bien entendre. J'opte plutôt pour le maquillage.

RÈGLE 4 : Je garde à la main une LAMPE DE POCHE allumée pour mieux voir et me rendre plus visible.

RÈGLE 5 : J'informe mes parents de mon TRAJET et de l'heure prévue de mon retour.

RÈGLE 6 : Pour sonner aux portes, je suis accompagné d'AMIS ou d'un adulte, et j'attends toujours à l'extérieur des maisons.

RÈGLE 7 : Je parcours un seul côté de la rue à la fois pour éviter de traverser inutilement.

RÈGLE 8 : Je traverse les rues aux intersections et je RESPECTE la signalisation routière.

RÈGLE 9 : Je refuse de m'approcher d'un véhicule ou d'y monter sans la permission de mes parents.

RÈGLE 10 : J'inspecte avec mes parents les friandises reçues pour être sûr de pouvoir les manger sans danger.

Avec ça, vous êtes prêts à RAMASSER des tonnes de bonbons...

Miam-miam, chanceux !

Table des matières

Salut Léon ! J'arrive, il me reste juste à m'attacher les cheveux.
Pourquoi ? As-tu peur de te les faire voler ?

ATTRAPE-NIGAUD

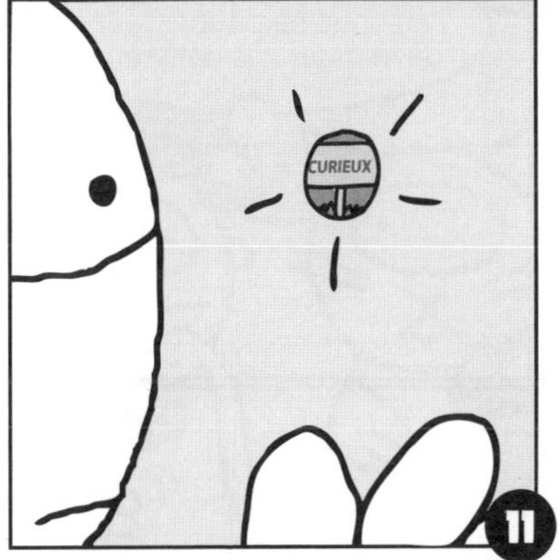

GOURMANDISE MALADIVE
Ça doit être vraiment cool d'être pâtissier.
Faire des pâtisseries et les goûter toute la journée !
Mais j'imagine qu'à la longue on s'habitue et on a moins envie d'en manger.
Tu penses ?
Non, c'est impossible ! Personne ne peut se tanner de manger des pâtisseries !
12

MAGICIEN BIEN ÉLEVÉ
S'il vous plaît, merci,
s'il vous plaît, merci...
?
Léon, pourquoi répètes-tu ces mots devant un pot de fleurs ?
J'essaie de le faire disparaître.
En lui disant ces mots ?
Oui. « S'il vous plaît » et « merci » sont des mots magiques, non ?

FAUT LE VOIR POUR LE CROIRE

Salut, les amis !

Léon, ça va ?

Euh... oui, très bien, pourquoi ?

!?

Ton doigt, il est tout enflé et rouge !

Ouchhhhhhhhh...!

! !

COMPTANT ?
Bonjour!
Bonjour!
Vous payez comptant ?
8,95 $
Euh... content ?
!
Je n'irais pas jusque-là ! Disons que je préférerais que ce soit gratuit !

¿ HABLAS ESPAÑOL ?
Eh, salut !
Salut !
Et puis, ton voyage au Mexique ?
Super !
Tu as pris pas mal de poids...
Je sais, c'est parce que j'ai mangé des frites toute la semaine.
Juste des frites ? Pourquoi ?
?
!
Papas fritas, ce sont les deux seuls mots que je sais dire en espagnol !

PLUS PETIT QUE ÇA, TU MEURS !

GROS EFFORT...
Ouf, je suis fatigué !
Tu n'as pas bien dormi la nuit passée ?
C'est pas ça, c'est que je viens de faire des exercices très exigeants.
Ah, tu avais un cours d'éducation physique !
?
Non, de français...
On a fait des exercices... de grammaire.

PAS FACILE, LA VIE !
Salut Léon !
Salut.
Qu'est-ce qui se passe ?
J'ai une grande décision à prendre.
Ah, oui ? À propos de quoi ?
!
Pour souper, j'hésite entre du pâté chinois et du spaghetti...
PAF!
19

AH, LE BON VIEUX TEMPS !

EXPÉRIENCE TRIPPANTE

COMMENT RETOURNER UN VERRE REMPLI D'EAU SANS EN RENVERSER UNE GOUTTE.

1

Ce qu'il vous faut :
- Un verre
- De l'eau
- Un bout de carton rigide et bien lisse
- Un évier

2

Cette expérience est facile comme tout. Exercez-vous quand même au-dessus d'un évier, car un dégât est si vite arrivé... Commencez par remplir un verre d'eau à ras bord. Ensuite, glissez le bout de carton, qui doit être un peu plus grand que l'ouverture du verre, sur celui-ci. Une fois que c'est fait, vous pouvez retourner le verre, doucement, en tenant le carton d'une main. Maintenant, retirez votre main. Vous constaterez que ni l'eau ni le carton ne tombent ! Mais... Mais... par la barbe d'Otto von Guericke*, comment est-ce possible ?

3

Comment ça marche ?
La pression atmosphérique (ou celle de l'air ambiant, si vous préférez) maintient le carton collé sur le verre d'eau. Si ce dernier n'est pas absolument plein, si un peu d'air y subsiste, la pression ne résistera pas au poids du liquide, et votre expérience... tombera à l'eau !

* Otto von Guericke est un scientifique allemand qui, en 1650, démontra la force de la pression atmosphérique en vidant l'air contenu entre deux cloches en cuivre maintenues l'une contre l'autre par un peu de graisse. Elles devinrent inséparables.

Source : imaginascience.com

PAF!

ILLUSIONS d'OPTIQUE

Le point rouge est-il plus haut que la moitié de la hauteur du triangle ?

Mesurez, pour voir...

Laquelle de ces deux piles est la plus élevée ?

Eh oui, elles sont de la même hauteur !

Ce chapeau est-il plus haut que large ?

Aussi incroyable que cela puisse paraître, non ! Il est aussi haut que large !

Le carré du centre est-il parfaitement droit ?

Euh... mais oui !

Saviez-vous ça?

Les kangourous tomberaient en plein sur le nez s'ils essayaient de courir! C'est la raison pour laquelle ils doivent sauter. Avec leur longue et forte queue, ainsi que leurs pattes arrière particulières (également très longues), ils sont vraiment faits pour avancer en bondissant et non en gardant les pieds collés au sol.

Le kangourou roux peut effectuer des bonds de 12 mètres et atteindre une vitesse de 65 kilomètres à l'heure. Dites donc, les Australiens n'ont jamais pensé s'en servir comme moyen de transport?

PAUSE
PUB
10

Le gant Glion

*Grâce à ses petites bosses,
il permet un massage
plus en profondeur !*

La vie «groovie» d'Annie

SECRETS

En tournant cette page, vous entrerez dans un monde secret, mais attention, pas n'importe lequel, celui d'Annie Groovie !

EL CIRCO DEL MUNDO

Novembre 1996

On peut dire que je suis assez chanceuse dans la vie, mais là, je suis au comble du bonheur! Je viens d'être sélectionnée pour participer à un superprojet qui me tient à cœur: le Cirque du Monde. J'adore le cirque, les enfants et les voyages, et j'ai depuis longtemps le désir de m'impliquer dans une cause humanitaire. Quelle chance, ce projet est vraiment fait pour moi!

Février 1997

Je pars donc trois mois au Chili, un pays d'Amérique du Sud, pour enseigner les arts du cirque aux enfants défavorisés. L'objectif: contribuer à améliorer leur situation précaire*. Tout un défi, mais je suis prête!

Après deux changements d'avion et un très long vol, je pose enfin les pieds sur le sol chilien. J'ai des courbatures partout et je suis morte de fatigue, mais qu'est-ce que je suis contente d'être là! Ça en valait la peine. À mon arrivée, des bénévoles, comme moi, sont déjà sur place. Ils m'attendent, car nous allons faire équipe ensemble. Nous sommes

*Précaire: incertain, fragile.

en banlieue de Santiago, la capitale du Chili. Le site est vaste, paisible, vert et entouré de pommiers en fleurs. L'endroit idéal pour un cirque ! Et qui dit cirque dit chapiteau. Ça tombe bien car, grâce au Cirque du Soleil, nous avons la chance d'avoir une vraie belle tente.

Il ne manque plus que les enfants... Voilà, je les entends ! Ils arrivent par dizaines, en courant. Ils sont excités de nous voir et surtout impressionnés par le grand chapiteau jaune et bleu !

Nous faisons rapidement connaissance puis, après un bon échauffement, nous sommes prêts ! Ici, on vient d'abord pour s'amuser, que ce soit en jonglant, en sautant, en dansant, en marchant sur un fil ou même en se balançant sur un trapèze. C'est un vrai terrain de jeux en pleine nature !

Comme je suis gymnaste, on me confie les cours d'acrobatie. Cool ! Je dois

montrer aux enfants à faire des pirouettes de toutes sortes ; par en avant, par en arrière, à l'endroit, à l'envers, sur un trampoline et même dans les airs ! Jusqu'ici, tout va bien, sauf pour un léger détail : je ne parle pas l'espagnol... Je dois donc me débrouiller autrement et user de mes talents de mime pour enseigner. Pas évident !

Voici donc à quoi ressemble ma vie de prof de pirouettes, de mime, de gymnaste et d'animatrice au Chili. Du lundi au vendredi, je travaille avec plein de groupes différents, dont certains viennent le matin, et d'autres, l'après-midi. Cela permet à plus d'enfants de participer au projet. Entre-temps, ils doivent aussi aller à l'école, sinon, pas de cirque ! C'est la règle. La motivation les gagne de plus en plus, et ils sont toujours aussi excités de revenir nous voir, jour après jour. C'est bon, ça semble fonctionner...

Avril 1997

Le temps passe trop vite. Déjà, notre séjour tire à sa fin. C'est triste ! Heureusement, il reste encore une foule de choses à faire, puisque c'est le moment d'organiser le grand spectacle : chorégraphies, musique, costumes, maquillages et publicité, il ne faut rien oublier. Cet événement tant attendu est l'occasion rêvée pour ces futurs artistes de cirque de montrer fièrement, devant parents et amis, ce qu'ils ont appris.

Les enfants sont fébriles, nerveux, et ça se sent. La foule s'entasse peu à peu dans le grand chapiteau, le spectacle va commencer... Attention, musique, c'est parti ! Les numéros s'enchaînent, les uns après les autres. La foule est en délire ! Les enfants sont si heureux et si fiers de montrer enfin leurs prouesses ! Grâce à cette expérience formidable, ils gagnent de la confiance en eux et se découvrent non seulement de nouvelles passions, mais aussi des talents cachés qui leur seront utiles tout au long de leur vie.

PAF!

Voilà, les artistes en herbe font un dernier tour de piste et, derrière eux, le rideau se ferme; la grande fête et, par le fait même, le projet sont maintenant terminés. Accolades, confidences, rires et pleurs, les enfants ne veulent pas nous voir partir, et nous ne voulons pas les quitter non plus. Mais bon, c'est comme ça, nous devons rentrer à la maison...

Mai 1997

Décidément, ce voyage m'a transformée; j'en reviens heureuse et épanouie, et surtout avec le sentiment du devoir accompli. Là-bas, j'ai fait la rencontre de gens merveilleux qui ont marqué ma vie. Et, en plus, j'ai appris l'espagnol. Génial ! C'est vraiment enrichissant, les voyages : on apprend des tas de trucs sur la façon de vivre des autres peuples et on découvre des endroits magnifiques.

J'espère que vous aurez la chance, un jour, de vivre une telle expérience. C'est vrai ! Car la mienne m'a fait réaliser qu'au fond on n'a pas besoin de grand-chose pour être heureux.

ÊTES-VOUS DE BONS CITOYENS?

Selon la loi, tous les propriétaires d'animaux de compagnie doivent respecter les règles suivantes en ville :

- Mon chien est enregistré à la Ville et porte en tout temps son médaillon au cou pour le prouver.
- Je garde mon animal dans un lieu, un terrain ou un bâtiment, d'où il ne peut sortir.
- Il ne mord ni les autres animaux ni les personnes.
- Il ne cause pas de dommages aux pelouses, terrasses, jardins, fleurs, arbustes ou autres plantes qui se trouvent sur un terrain autre que le sien.
- Je l'accompagne toujours et le tiens en laisse. Celle-ci doit mesurer moins de [illegible] de longueur.
- J'ai toujours avec moi un sac pour ramasser ses excréments aussitôt qu'il [illegible] besoins.
- Je l'empêche d'aboyer ou de [illegible] (ou de miauler s'il s'agit d'un chat) si cela trouble la tranquillité du voisinage.
- Je lui prodigue tous les soins nécessaires en lui donnant de l'eau potable et de la nourriture, et en gardant son abri propre.
- Je ne le laisse pas boire dans une fontaine, une piscine ou un étang publics.
- Je ne le transporte jamais dans le coffre arrière d'une voiture ni dans la boîte d'une camionnette.
- Je n'ai pas plus de deux chiens ou de trois chats si je vis dans un immeuble à logements.

Pour en savoir plus, informez-vous à l'hôtel de ville le plus près de chez vous !

La réflexion de Léon

Les abeilles font-elles des lunes de miel ?
PAF!

Elle est bonne !

Quand un génie voit quelqu'un éternuer, est-ce qu'il lui offre d'exaucer ses trois souhaits ?

Un étudiant arpente un corridor de son école en réfléchissant à la dernière question de son examen de math. Il marche sur le pied d'un costaud sans s'en rendre compte. Le costaud lui lance : « Hé ! C'est quoi, ton problème ?
— Ben, la fleuriste vend des marguerites à 75 ¢, des tulipes à 1,50 $, des jonquilles à 2,25 $, des œillets à 3,75 $ et des roses à 6,75 $. Je veux un bouquet composé de deux variétés de fleurs, et mon budget est de 30 $. Combien de bouquets différents la fleuriste peut-elle me proposer ?
— Euh, laisse faire... »

Dans un cours de céramique, des élèves sont en train de confectionner des couverts pour un service de table. L'un d'eux, affamé, sort un bonbon de sa poche. Le prof, qui passait derrière, le lui confisque aussitôt et lui dit : « Pas avant d'avoir fini ton assiette ! »

Pourquoi les lapins en chocolat préfèrent-ils la musique douce ? Parce qu'ils détestent se faire casser les oreilles...

Le soir tombe dans le désert. La maman serpent prévient ses petits :
« Les enfants, c'est l'heure d'aller au lit !
— S'il te plaît, maman ! Je ne veux pas me coucher !
— Moi non plus !
— Je vous l'ai déjà dit cent fois : vous ne pouvez pas rester debout ! »

Un fermier s'adresse à son nouvel employé, un citadin pas très malin :
« Je dois aller au village. Il faut semer les choux ce matin... Je compte sur toi.
— Pas de problème, patron ! »
Un peu plus tard, au village, le fermier aperçoit son employé en train de courir dans la rue principale.
« Dis donc, toi ! Je ne t'avais pas dit de planter les choux ?
— Non, patron, vous m'avez dit de les semer ! Et fiez-vous à moi, ils sont loin derrière ! »

Une petite fille parle avec son voisin :
« Mon père est allé au restaurant hier et il avait tellement faim qu'il a mangé la facture.
— La facture ! Ça ne devait pas être très bon...
— Eh bien, je ne sais pas, il a seulement dit qu'elle était salée... »

Léon, qu'est-ce
que tu fais là ?
!?
J'essaie de pondre
des idées...

LE PRO DE L'HALLOWEEN

QUI A DIT ÇA ?

PAS CHANCEUX, NOS ANCÊTRES...

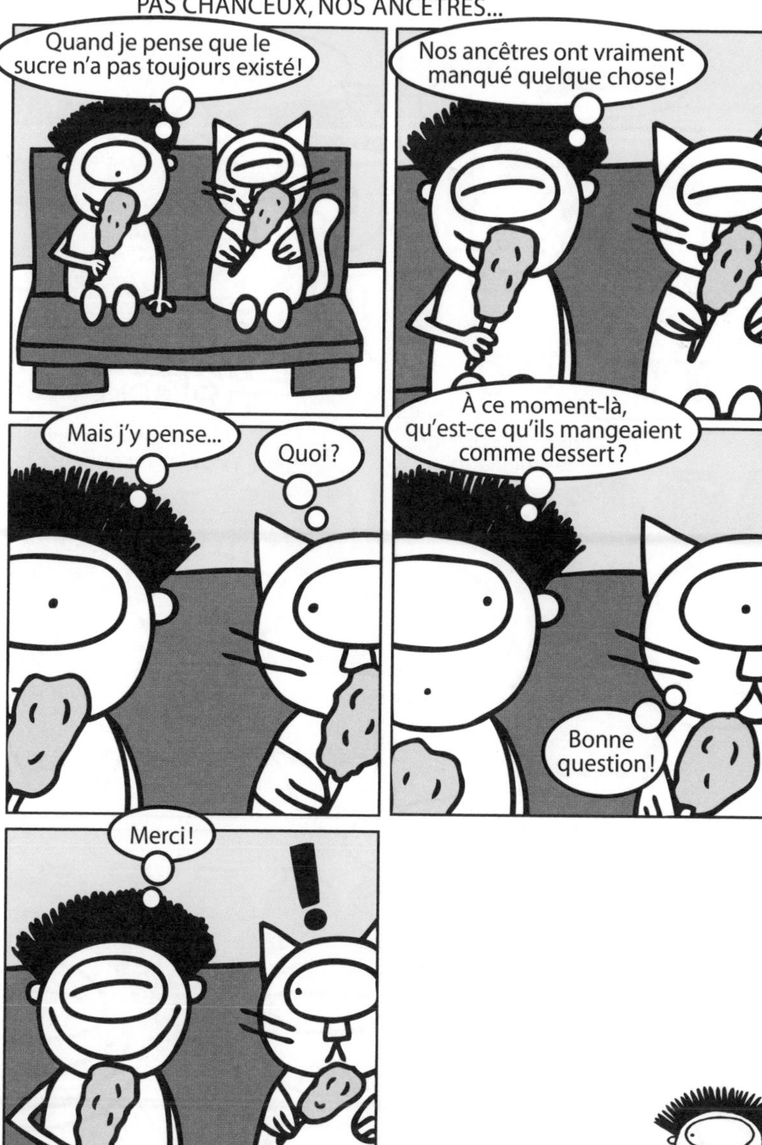

BIENVENUE AU ROYAUME DES BONBONS !

LA LOI DU DESSERT
Tu commences par ton dessert ?
Qui a décidé que le dessert devait se manger à la fin du repas ?
Je le sais ! Ça doit être des parents.
Comme ça, ils peuvent nous menacer de ne pas en avoir si on ne finit pas notre assiette !
Les parents, ça pense vraiment à tout.

LA FÉE DES DENTS
Les amis !
La fée des dents est passée cette nuit et m'a laissé des sous !
Chanceuse. Moi, elle ne me donne jamais rien.
Ah, non ? Pourquoi donc ?
?
Mes dents sont trop cariées !

VITE, DES BONBONS !
Un grand verre d'eau, beaucoup de sucre...
... et quelques gouttes de colorant alimentaire !
SUCRE
Salut Léon ! Qu'est-ce que tu cuisines là ?
J'ai le goût de manger des bonbons mais, comme je n'en ai pas...
Beurk !
... j'ai décidé de m'en fabriquer !
PAF!

VRAIMENT DOMMAGE ?

QUE FAIRE DE VOS 10 DOIGTS À PART VOUS RONGER LES ONGLES...

IMPRESSIONNEZ VOS AMIS EN CRÉANT UN THAUMATROPE À ÉLASTIQUES !

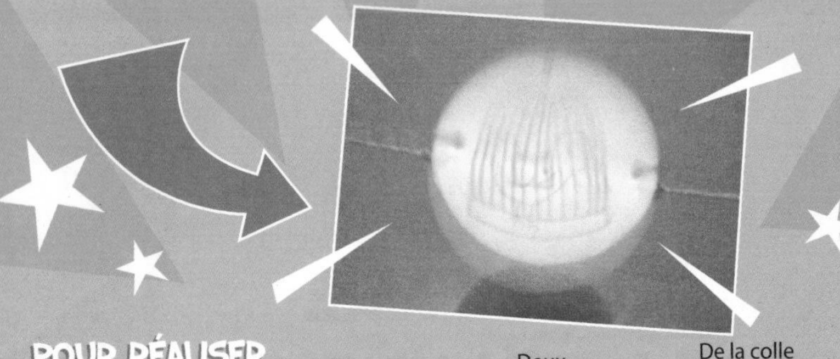

POUR RÉALISER CET OBJET MAGIQUE, ANCÊTRE DU CINÉMA, VOUS AUREZ BESOIN DE CECI :

À l'aide de l'objet rond et plat, tracez un cercle sur le carton.

Faites la même chose sur la feuille de papier. Cependant, cette fois, vous devez tracer deux cercles identiques.

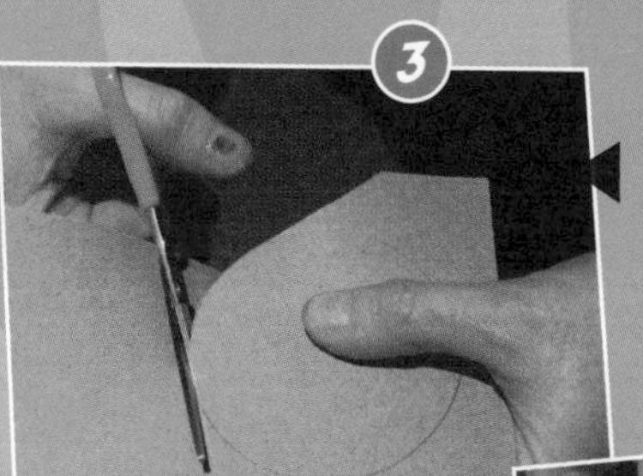

Découpez le cercle tracé sur le carton...

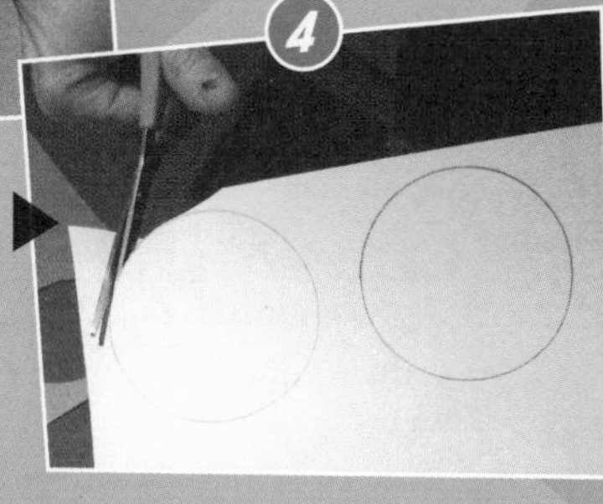

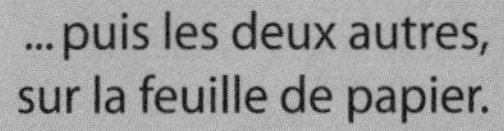

... puis les deux autres, sur la feuille de papier.

Sur un des cercles en papier, dessinez une cage d'oiseau, selon votre style, assez grande pour remplir presque tout l'espace blanc.

Sur l'autre cercle en papier, dessinez un oiseau, un peu plus petit que la cage afin qu'il puisse entrer dedans.

Vous obtenez donc les deux pièces suivantes et êtes prêts à poursuivre!

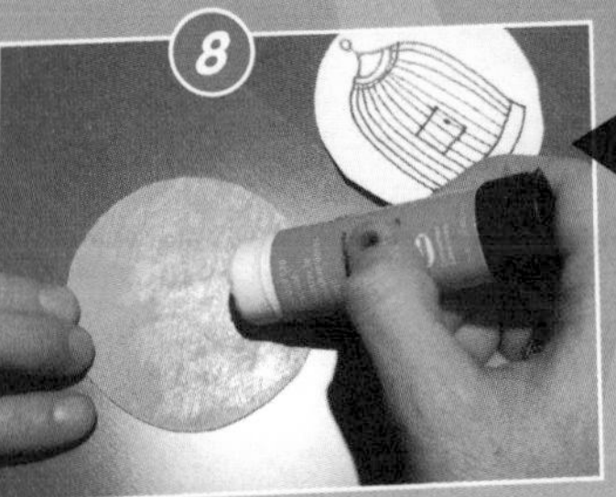

Vous allez maintenant assembler votre thaumatrope !

Étendez de la colle sur une des surfaces du carton...

... et collez-y l'image de la cage.

Tournez ensuite le carton selon l'axe vertical et déposez-le sur la table afin de venir apposer l'autre dessin, celui de l'oiseau, au verso.

Attention : le dessin de l'oiseau doit absolument être collé **à l'envers** par rapport à celui de la cage, sinon l'effet visuel ne fonctionnera pas aussi bien.

Il faut maintenant percer
deux petits trous pour y insérer
les élastiques. Pour ce faire, enfoncez
doucement la pointe du ciseau
de chaque côté du cercle.

Entrez ensuite, un à un, les
élastiques dans chacun des trous...

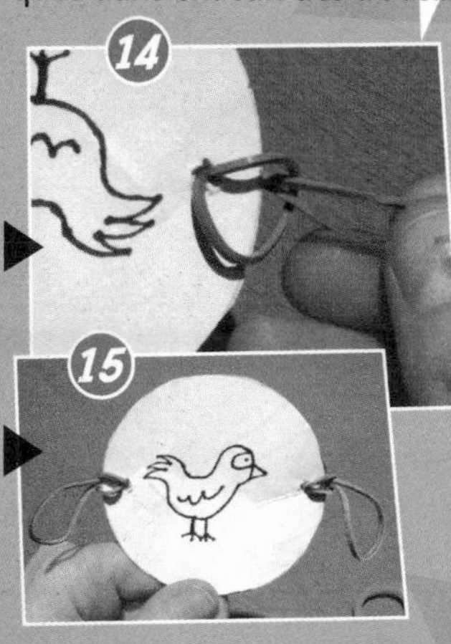

... et faites un nœud en
repassant le bout de l'élastique
à l'intérieur de celui-ci.
C'est facile, regardez le dessin...

Vous obtenez ceci !

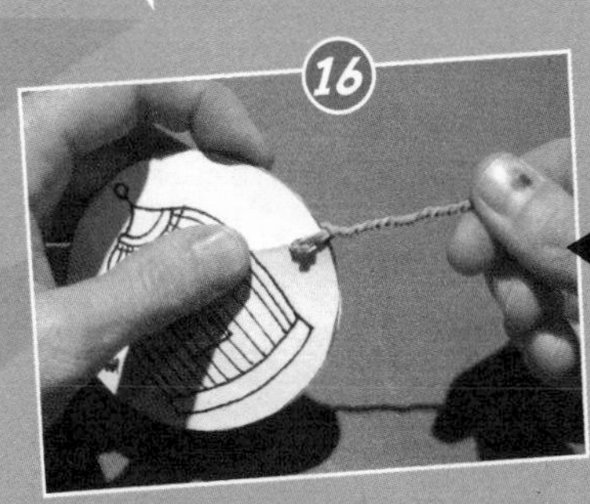

Voilà, c'est l'étape finale. Vous
êtes sur le point de visionner votre premier minifilm ! Entortillez
solidement les deux élastiques
sur eux-mêmes...

17

... puis, faites tourner le disque
entre vos doigts en tirant
fermement de chaque côté.
Vous aurez alors l'illusion
que l'oiseau est dans la cage !
Fascinant, non ?

*** Pour voir ce thaumatrope en action, rendez-vous sur www.anniegroovie.com.**

Portrait d'un Québécois célèbre

Louis Cyr

On dit de lui qu'il a été l'homme le plus fort que le monde ait connu. Pour tout savoir sur ce personnage qui a marqué l'histoire du Canada, lisez ce qui suit. Petit conseil, toutefois : n'essayez pas de répéter à la maison les tours de force qu'a réalisés Louis Cyr... Vous pourriez vous blesser !

Louis Cyr naît le 10 octobre 1863 à Saint-Cyprien-de-Napierville, un petit village en Montérégie, sur la rive sud de Montréal (aujourd'hui devenu Napierville). C'est peut-être pour cette raison que son nom de baptême est, en fait, Cyprien-Noé Cyr. Disons que rapidement, pour se faciliter la vie (surtout parce qu'il habite aux États-Unis une partie de sa jeunesse), il change son prénom pour Louis, qui est moins difficile à prononcer en anglais. Son père n'est pas l'homme le plus costaud qui soit, mais sa mère, elle, pèse 120 kg et mesure 1,85 m, ce qui équivaut à la stature d'un lutteur ! Il a donc de qui tenir.

Jeune, Louis admire beaucoup son grand-père paternel, Pierre. C'est ce dernier, en fait, qui lui donne envie d'être fort ; il lui répète que, pour être costaud, il faut manger, manger et encore manger ! Un conseil que le petit Louis n'oubliera jamais...

À partir de l'âge de 12 ans, Louis doit commencer à travailler, étant l'aîné des garçons de sa famille, qui compte 17 enfants. Il impressionne déjà ses compagnons avec ses démonstrations de force brute. L'hiver, il travaille dans un camp de bûcherons, et, l'été, sur la ferme de ses parents : deux lieux parfaits pour épater la galerie ! Même à la maison, Louis se mesure aux autres hommes : au cours d'un souper familial, il surprend tout le monde en battant son oncle Gédéon au tir au poignet.

C'est à 18 ans qu'il participe à son premier concours d'hommes forts, à Boston, aux États-Unis ; il pèse alors 104 kg et réussit à soulever... un cheval ! Impressionnant, non ? Par la suite, il se promène de ville en ville pour disputer des compétitions où il met en valeur ses talents, disons, particuliers... Il convainc même sa famille d'effectuer une tournée avec lui au Québec.

Ensemble, ils donnent une représentation intitulée *La troupe Cyr* : c'est un véritable succès, car Louis a le sens du spectacle ! C'est vrai que, petit, il aimait déjà jouer du violon et danser, deux atouts fort intéressants lorsqu'on veut faire de la scène.

En 1882, à l'occasion d'un bal donné en son honneur, Louis Cyr rencontre Mélina Comtois, une séduisante jeune femme qui gagnera son cœur. Peu de temps après, il participe au championnat canadien des hommes forts, où il affronte le champion en titre, David Michaud. Il le bat à plate couture dans toutes les épreuves, réussissant même à soulever une barre à disques de 100 kg (donc, un peu moins que son propre poids) d'une seule main et une masse de plus d'une tonne (1075 kg) sur son dos ! Louis Cyr remporte ainsi le titre d'homme le plus fort du Canada. Petit fait amusant : David Michaud était également amoureux de Mélina avant que Louis ne l'épouse. Décidément, il n'avait pas la chance de son côté !

En 1892, Louis est engagé par le cirque américain des Ringling Brothers aux côtés d'un autre homme fort, Horace Barré. Comme ils apprécient beaucoup cette expérience, les deux amis décident de monter leur propre cirque composé d'athlètes, de jongleurs, d'acrobates et évidemment d'hommes forts. Ils se promènent à travers le Canada et les États-Unis. La rumeur à propos de la force surhumaine de Louis circule et se rend jusqu'en Europe, où sont organisées des rencontres qui permettront au célèbre Québécois de déployer toute sa force.

Entre 1895 et 1900, Louis Cyr établit tous ses records et devient (enfin!) officiellement champion du monde. Il réussit à soulever, à l'aide d'un seul doigt, 250 kg (ce qui équivaut au poids d'un bébé éléphant), et, sur son dos, 1971 kg, ce qui représente un VUS (véhicule utilitaire sport) où seraient assis deux passagers costauds. Plus personne ne doute alors de sa force exceptionnelle. Il gagne également sa vie en pratiquant le métier de policier pour une petite municipalité de l'île de Montréal. Parions que tous les bandits avaient peur de lui!

À la longue, à force de mettre ses capacités physiques à l'épreuve de façon aussi extrême et de manger comme un ogre tous les jours, Louis a des problèmes de santé qui le forcent à ralentir. C'est que, pendant longtemps, il a ingurgité plusieurs kilos de viande par repas... quatre fois par jour! Il tombe donc malade à l'âge de 37 ans et est obligé de mettre fin à ses activités. Cependant, un événement inattendu incite Louis à sortir de sa retraite: un nouveau héros de la force, Hector Décarie, lui lance un défi, qu'il accepte de relever, au risque d'en mourir.

La rencontre entre les deux hommes a lieu le 26 février 1906: Hector Décarie n'a pas encore 30 ans, tandis que Louis Cyr en a 44 et est très malade. Malgré tout, ce dernier se bat jusqu'à la fin et oblige le jeune homme à se contenter d'un match nul. Encore une fois, il prouve que celui qui le détrônera n'est pas encore né!

Le 10 novembre 1912, la grande aventure de Louis Cyr prend fin: il meurt à l'âge de 49 ans.

Aujourd'hui, une école secondaire de Napierville porte le nom de ce grand homme, qui a marqué son époque et qui n'est pas près d'être oublié. On peut également voir sa statue dans le Vieux-Montréal, à la Place des Hommes-forts. Disons que c'est un honneur très mérité!

Pour en savoir davantage sur Louis Cyr, vous pouvez consulter différents ouvrages ou visiter le musée qui porte son nom, situé en plein cœur du village de Saint-Jean-de-Matha, où on raconte son histoire et ses exploits. Ce site Internet est également rempli d'informations:

www.municipalitestjeandematha.qc.ca/louiscyr.htm

Énigme

Si hier n'était pas samedi,
si demain n'est pas jeudi,
si avant-hier n'était pas mercredi,
si après-demain n'est pas jeudi
et si nous ne sommes pas
le lendemain de mercredi
ni la veille de mardi...

... quel jour sommes-nous ?

POUR OBTENIR LA SOLUTION,
VOUS N'AVEZ QU'À TROUVER LE CODE SECRET À LA FIN DU LIVRE !

Tout ce que vous devez savoir pour faire de ce drôle de petit animal votre nouvel ami!

Saviez-vous que les ancêtres de l'iguane existaient déjà il y a 300 millions d'années? On ne peut donc pas dire que ce reptile est tout jeune! L'iguane est de plus en plus populaire comme animal de compagnie, mais étant donné qu'il est originaire d'Amérique centrale et d'Amérique du Sud, il requiert des soins particuliers. Ça vous intéresse? Voici une foule d'informations utiles pour vous préparer à accueillir cette petite bête à la maison!

Choisir votre nouveau compagnon...

Achetez un iguane aussi jeune que possible, car le fait de l'habituer très tôt à être manipulé vous garantira une relation disons... plus harmonieuse! Un bon truc pour savoir si celui de l'animalerie est fait pour vous: lui tendre de la nourriture. Il devrait venir la chercher. S'il ne le fait pas, c'est peut-être qu'il est malade... ou encore qu'il est du type peureux et stressé, ce qui n'en fait pas le compagnon idéal.

Un amoureux des grands espaces

Plus l'iguane grandit et plus il a besoin d'espace. Bien qu'il reste principalement sur le sol de son terrarium (un genre d'aquarium qui ne contient pas d'eau, mais plutôt des branches et de la végétation artificielle), celui-ci doit être suffisamment haut. Bébé, l'iguane ne mesure que 25 centimètres, mais en vieillissant, il peut atteindre jusqu'à 1,5 mètre de long, avec sa queue : cela équivaut probablement à votre taille, ou même plus ! Pas étonnant qu'il ait besoin d'une grande maison... Il est aussi très important de bien contrôler la température de son terrarium : comme l'iguane vient d'une région tropicale, il ne peut pas supporter notre climat, même dans nos maisons. Il faut donc que son environnement soit constamment à une température d'environ 30 degrés Celsius. Idéalement, son abri devrait être placé près d'une fenêtre, pour que votre reptile profite pleinement de la lumière du soleil. Sinon, il faut installer des lampes : l'iguane adore se faire dorer la bedaine !

Dans les animaleries, on vend de plus en plus de terrariums conçus expressément pour les iguanes. Cependant, n'oubliez pas que ce reptile est un solitaire qui protège son territoire ; donc, ce n'est pas une bonne idée de le faire habiter avec un petit copain... Installez dans son terrarium des branches solides sur lesquelles il pourra aller se reposer et un bac d'eau en plastique qui lui servira d'abreuvoir. N'oubliez pas d'y disposer aussi des plantes en plastique, qui créeront des zones ombragées, et de lui fabriquer quelques cachettes où il pourra aller se réfugier s'il en sent le besoin. Tout le monde a droit à son intimité !

Un végétarien qui parfois... se fait manger !

L'iguane est herbivore, c'est-à-dire qu'il ne mange que des herbes, des graines, des fruits et des légumes. Il doit être nourri seulement une fois tous les deux jours à cause de sa digestion, qui est lente.

Pour lui donner la bonne quantité de nourriture, vous devez remplir une soucoupe qui mesure environ deux ou trois fois la largeur de sa tête. Un mélange de fruits, de feuilles et de légumes le comblera : il aime autant la laitue ou le concombre que les pissenlits, les brocolis, la mangue et le melon. Il n'est pas difficile ! Des céréales non sucrées peuvent constituer de petites gâteries pour votre iguane, mais il ne faut pas en abuser. Il existe aussi des mélanges de nourriture sèche qu'on vend dans les animaleries et qui peuvent compléter ses repas.

Fait étonnant, aux Caraïbes, on a baptisé l'iguane « le poulet des arbres ». Pourquoi ? Parce que, là-bas, on le fait cuire et on le mange comme de la volaille ! Étrange, non ?

Faire de l'iguane son ami : tout un défi !

C'est en le nourrissant (et non en le mangeant !) que vous aurez le plus de chances d'établir une relation de confiance avec votre iguane. Toutefois, il ne faut pas penser que vous pourrez agir avec lui de la même façon qu'avec un chien, par exemple. Certains propriétaires réussissent à promener leur reptile en laisse ou à le garder sur eux de longs moments, mais ce ne sont pas tous les iguanes qui adoptent ce type de comportements. Mieux vous en prendrez soin et plus la probabilité sera grande que vous vous en fassiez un bon ami ! Vous devez aussi savoir que ce reptile a parfois peur des autres animaux domestiques qui se promènent dans la maison. Par conséquent, n'essayez pas de le prendre alors que votre chat rôde aux alentours : il pourrait mal réagir et donner des coups de queue. Vous seriez surpris de voir à quel point ses réflexes d'autodéfense sont aiguisés !

Finalement, s'occuper d'un iguane n'est pas aussi simple qu'on pourrait le croire. Avant d'en adopter un, il faut réfléchir sérieusement, car cet animal vit en moyenne de 10 à 15 ans. Une chose est certaine, en revanche : il fait toujours un effet monstre auprès de la visite et des amis !

Source: Manning, David,
Le guide des animaux exotiques,
Éditions Marabout, Italie, 2004

TERRAIN DE JEUX

SOLUTIONS À LA PAGE 84

Combien valent Léon, le chat et Lola ?

=

=

=

+ + = 35

+ − = 5

+ − = 17

+ + = 23

Saurez-vous trouver les prénoms de filles et de garçons qui se cachent dans ces mots ?

* Les accents peuvent changer.

Et vous ? Pouvez-vous former un mot avec les lettres de votre nom ?

LES 12 ERREURS

APRÈS

Ces cinq mots finissent tous par les trois mêmes lettres. Lesquelles ?

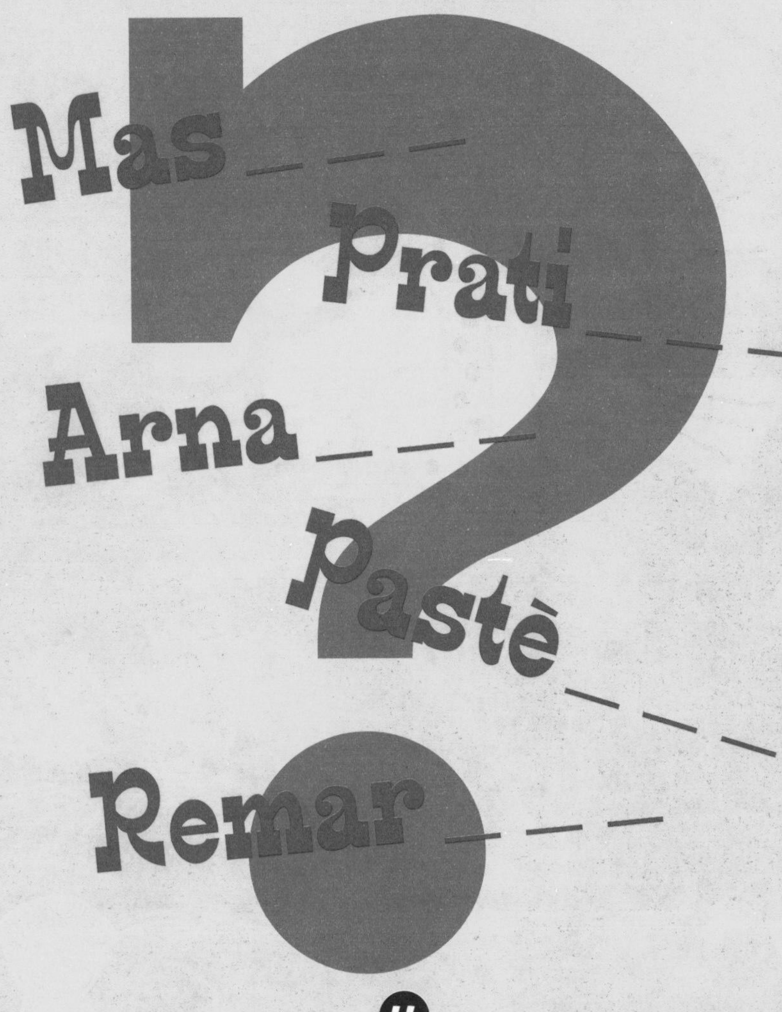

Toutes ces choses ont un point en commun. Lequel ?

SILHOUETTE SECRÈTE

Pour découvrir la silhouette qui se cache dans ce dessin, vous n'avez qu'à noircir toutes les formes contenant une étoile !

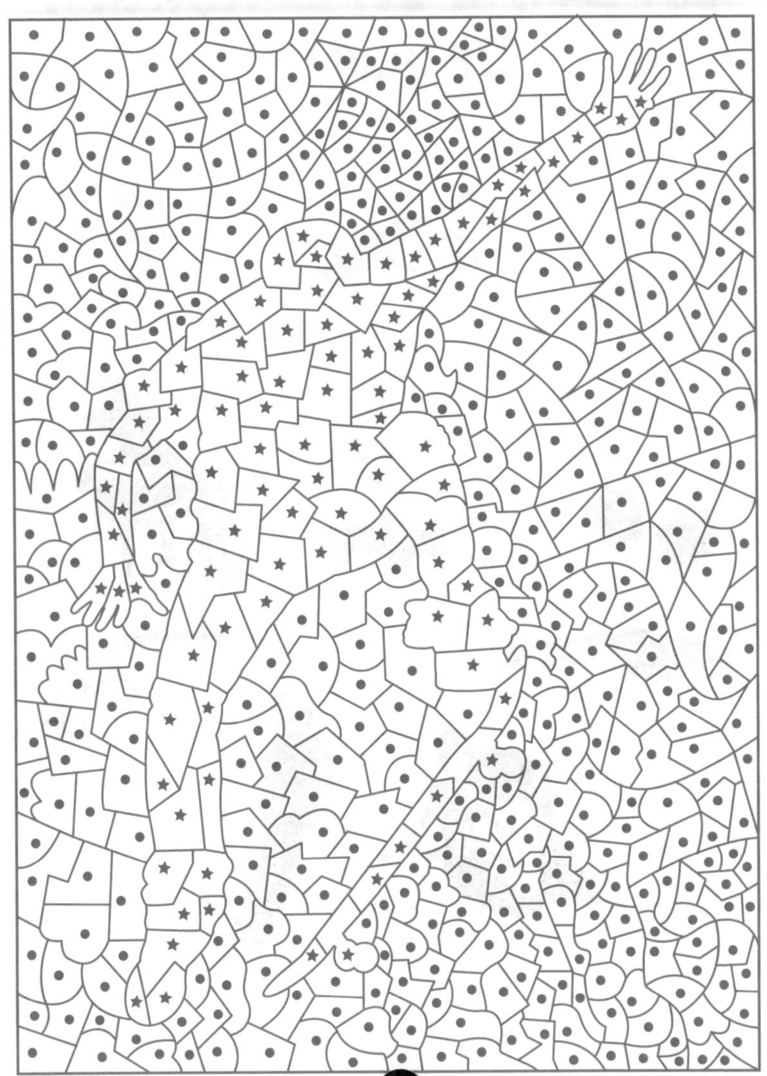

Reliez le nom de l'animal à l'image de sa fourrure, sans utiliser de diagonales et sans croiser les lignes. Un autre détail : vous devez vous servir de toutes les cases... Bonne chance !

						Léopard
	Tigre					
				zèbre		
Vache						
						Girafe

Entre amis, il faut se serrer les coudes !
!

PLUIE FINE ?

Tiens, salut Léon !
Salut...
Ça va pas ?
Je déteste la pluie.
Mais c'est juste une petite pluie fine.
Elle est peut-être bien fine, mais je ne l'aime pas plus !

ARRÊTEZ LE TEMPS !
Bon, quelle heure est-il ?
Déjà ! Ça n'a pas de bon sens...
!
Les policiers devraient donner des amendes au temps.
Des amendes ?
?
Oui, parce qu'il passe toujours trop vite !
!

CHÈRE TANTE...
Léon, qu'est-ce que tu fais avec ce journal ?
Je l'envoie à ma tante.
Pourquoi ?
Elle m'a demandé de lui donner des nouvelles de temps en temps.
TANTE
TANTE
PAF!

LÉON, SUPERDÉTECTIVE !

AYEZ L'AIR INTELLIGENTS

en connaissant le « langage » des animaux !

Parce que ce serait bête de s'en priver, non ?

Les cris, les chants, les grognements et même parfois la danse permettent aux animaux de communiquer entre eux ou même avec nous! Cependant, ils ne s'embarrassent pas de règles comme celles que nous apprenons à l'école. Les requins-marteaux savent-ils que les scies n'aiment pas les raies?

Le chat

Pour vous saluer, votre chat se frotte sur vos jambes. Il prend alors un peu de votre odeur et laisse la sienne sur vous. Ensuite, il se lèche pour l'enlever. Quelle tête ferait-il si vous léchiez votre pantalon? Le chat vous témoigne sa confiance en vous montrant son ventre, couché sur le dos. Il ronronne quand il est content, mais aussi lorsqu'il souffre ou qu'il a peur. Ça le calme, comme lorsque nous fredonnons une chanson dans le noir pour nous donner du courage. Le langage corporel du minet effrayé est on ne peut plus clair: ses oreilles sont penchées vers l'arrière et sa queue reste collée le long de son corps. S'il hérisse* son poil et fait le dos rond, il se prépare à griffer. Ce n'est pas le temps de lui flatter la bedaine!

Le chien

Sociable et démonstratif, le chien demande toute votre attention. Si ses aboiements ne sont pas toujours faciles à interpréter, sa queue, elle, vous en dira long sur son humeur. Frétillante, haute ou basse, elle vous invite à jouer. Mais pas toujours... Un chien peut agiter la queue simplement parce qu'il est indécis. Quand elle est droite et pointée vers l'arrière, et qu'elle fait des mouvements courts et secs, il est bien possible que le chien soit agressif. Si elle est basse ou qu'elle se trouve entre ses pattes, c'est qu'il a peur de vous. Ce n'est pas un signe que vous pouvez le flatter! De toute façon, il ne faut jamais caresser un chien que vous ne connaissez pas, qu'il s'agisse d'un berger allemand ou d'un chihuahua. *Usted comprendió*** ?

* Hérisse : dresse.

** *Usted comprendió* : vous avez compris ?

La fourmi

En frôlant leurs antennes, deux fourmis peuvent échanger des informations comme : « Salut, je m'appelle Z », « Il y a du McDo dans la poubelle là-bas », etc. Ces mêmes antennes leur servent aussi à capter les phéromones, des substances chimiques odorantes que produisent les fourmis pour transmettre des messages à distance. Il semblerait qu'une phéromone qui signifie « danger ! » pour la fourmi sent le clou de girofle. Apportez-en à votre prochain pique-nique, pour voir !

L'abeille

Comme les fourmis, les abeilles se servent de leurs antennes et de phéromones pour communiquer (d'après les scientifiques, l'odeur qui les incite à l'attaque rappelle celle de la banane. Apportez-en à votre prochain pique-nique, pour voir...). Ces insectes producteurs de miel ont un autre atout : ils dansent ! En effet, les abeilles effectuent des figures acrobatiques indiquant à leurs camarades à quelle distance et dans quelle direction se trouve le pollen. Par une drôle de coïncidence, plusieurs humains mis en présence d'abeilles se mettent aussi à danser. Mais il s'agit généralement de mouvements de panique...

Le dauphin

Dépourvu de cordes vocales, le dauphin s'exprime à l'aide de sifflements. Il émet aussi des sons appelés « clics », qui l'aident à se situer dans l'espace et à repérer sa nourriture. Le front bombé du dauphin, le melon, produit des séries de clics à hautes ou à basses fréquences. Ceux-ci rebondissent sur les obstacles et reviennent jusqu'à lui, puis son cerveau les décode et lui révèle précisément ce qui l'entoure. Tout ça se déroule très rapidement, bien sûr. D'ailleurs, les sons voyagent cinq fois plus vite dans l'eau que dans l'air. Si ce serait faux, je ne vous le dirais pas. Pardon ! Si c'était faux, devrais-je dire. L'erreur est humaine...

CODE SECRET

EXERCEZ-VOUS À DEVENIR UN AGENT SECRET !

C'est le moment idéal pour tenter de décoder de grands mystères. Vous y avez sans doute déjà secrètement songé, alors tournez la page et saisissez l'occasion rêvée de foncer !

Ce code secret vous révélera
la réponse de l'énigme à la page 56.

Pour le trouver, c'est très simple:
les lettres qui composent ce mot ont
été dispersées à travers un texte.
Des indices, à la page suivante, vous
indiqueront, à l'aide de numéros, où se
cache chacune de ces lettres*.

Vous n'avez donc
qu'à compter et vous
y arriverez!

Bonne chance!

* Seules les lettres comptent;
pas les apostrophes,
ni les virgules, ni les points.

1) 324e lettre

2) 266e lettre 3) 82e lettre

4) 203e lettre

5) 42e lettre 6) 159e lettre

Rapportez, une à une, ces lettres à la page suivante et vous obtiendrez le code secret...

Paroles d'une célèbre chanson scoute:
Les aventuriers

VOUS LES VERREZ DESCENDRE LES RIVIÈRES

SUR DES RADEAUX QUI N'ONT RIEN DE VAISSEAUX

VOUS LES VERREZ MATELOTS ET TROUVÈRES

CHANTANT LE SOIR PRÈS DU FEU DE BOULEAU

ET CHAQUE JOUR LAISSERONT DERRIÈRE EUX

DES CHANTS, DES RIRES, DE LA JOIE PLEIN LES YEUX.

ET LES VOILÀ PARTIS DE VILLAGE EN VILLAGE

SOUS LE SOLEIL D'ÉTÉ POUR CE LONG VOYAGE

LES ANCRES SONT LEVÉES, LES VOILES SONT GONFLÉES

VOUS LES VERREZ PASSER, LES AVENTURIERS.

Code secret

(Réponse de l'énigme à la page 56)

1) 2) 3) 4) 5) 6)

ANNIE GROOVIE À VOTRE ÉCOLE

EH OUI, ANNIE GROOVIE FAIT DES TOURNÉES DANS LES ÉCOLES !
VOUS TROUVEREZ TOUTE L'INFORMATION SUR LE SITE INTERNET
WWW.ANNIEGROOVIE.COM

À BIENTÔT PEUT-ÊTRE !

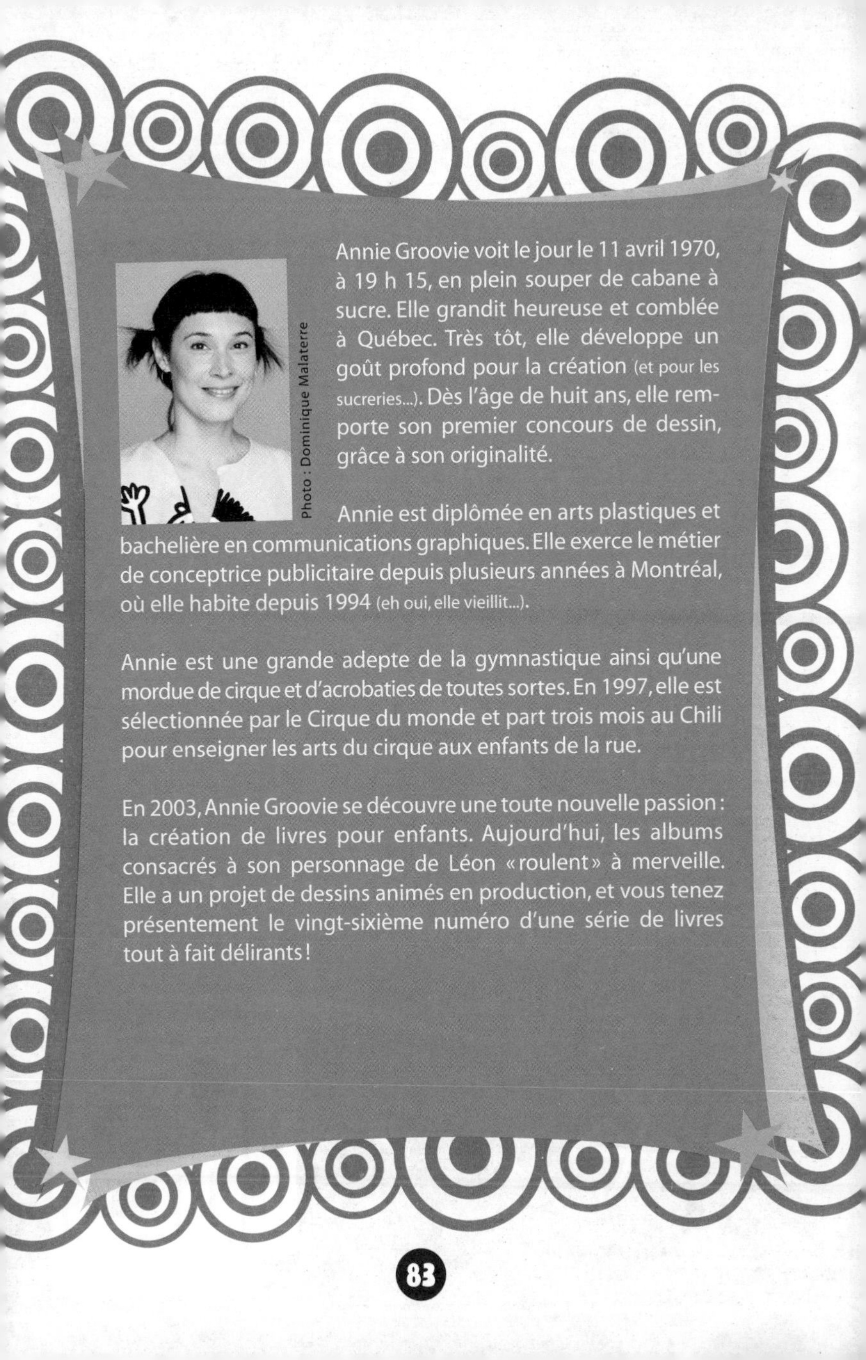

Photo : Dominique Malaterre

Annie Groovie voit le jour le 11 avril 1970, à 19 h 15, en plein souper de cabane à sucre. Elle grandit heureuse et comblée à Québec. Très tôt, elle développe un goût profond pour la création (et pour les sucreries...). Dès l'âge de huit ans, elle remporte son premier concours de dessin, grâce à son originalité.

Annie est diplômée en arts plastiques et bachelière en communications graphiques. Elle exerce le métier de conceptrice publicitaire depuis plusieurs années à Montréal, où elle habite depuis 1994 (eh oui, elle vieillit...).

Annie est une grande adepte de la gymnastique ainsi qu'une mordue de cirque et d'acrobaties de toutes sortes. En 1997, elle est sélectionnée par le Cirque du monde et part trois mois au Chili pour enseigner les arts du cirque aux enfants de la rue.

En 2003, Annie Groovie se découvre une toute nouvelle passion : la création de livres pour enfants. Aujourd'hui, les albums consacrés à son personnage de Léon « roulent » à merveille. Elle a un projet de dessins animés en production, et vous tenez présentement le vingt-sixième numéro d'une série de livres tout à fait délirants !

SOLUTIONS
P. 64-65
1. Une branche de l'algue située au-dessus du dos de Léon
2. Une branche de l'algue située sous Léon, près de sa main droite
3. Une ligne de reflet dans le masque de plongée
4. La pupille de l'œil de Léon s'est déplacée
5. Un pois bleu sur la bouée de Léon
6. L'objectif de l'appareil photo
7. Une ligne sur la palme du haut
8. La ligne d'épaisseur de la palme du bas
9. La courroie de l'appareil photo, au cou de Léon
10. Le sourire de Léon
11. Une bulle sortant du tuba
12. L'oreille de Léon
P. 63
1. Isabelle
2. Léon
3. Rosalie
4. Pierre
5. Lise
6. Olivier
7. Simone
8. Éric
9. Mia
P. 67
Elles ont toutes une queue!
P. 62
Léon = 13
Le chat = 5
Lola = 9
P. 66
Les lettres «q-u-e»
19 × 5 = x
P. 69
Léopard
Tigre
Zèbre
Vache
Girafe

DANS LA MEME COLLECTION

DÉLIRONS AVEC LÉON

DES HEURES
DE PLAISIR !

Les éditions de la courte échelle inc.
5243, boul. Saint-Laurent
Montréal (Québec) H2T 1S4
www.courteechelle.com

Conception, direction artistique et illustrations : Annie Groovie
Collaboration au contenu : Joëlle Hébert et Martin Bernier
Collaboration au design et aux illustrations : Émilie Beaudoin
Révision : André Lambert et Valérie Quintal
Infographie : Nathalie Thomas
Muse : Franck Blaess

Une idée originale d'Annie Groovie

Dépôt légal, 3e trimestre 2009
Bibliothèque nationale du Québec

La courte échelle reconnaît l'aide financière du gouvernement du Canada par l'entremise du Programme d'aide au développement de l'industrie de l'édition pour ses activités d'édition. La courte échelle est aussi inscrite au programme de subvention globale du Conseil des Arts du Canada et reçoit l'appui du gouvernement du Québec par l'intermédiaire de la SODEC.

La courte échelle bénéficie également du Programme de crédit d'impôt pour l'édition de livres — Gestion SODEC — du gouvernement du Québec.

Catalogage avant publication de Bibliothèque et Archives nationales du Québec et Bibliothèque et Archives Canada

Groovie, Annie

Délirons avec Léon

Pour enfants de 8 ans et plus.

ISBN 978-2-89651-211-9

1. Jeux intellectuels - Ouvrages pour la jeunesse. 2. Jeux-devinettes - Ouvrages pour la jeunesse. 3. Devinettes et énigmes - Ouvrages pour la jeunesse. I. Titre.

GV1493.G76 2007 j793.73 C2006-942113-7

Imprimé en Malaisie